Le bébé
RUGISSANT

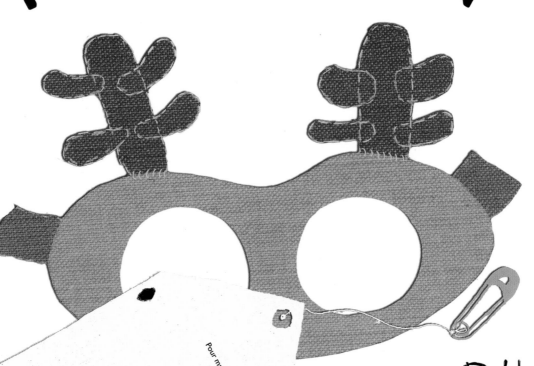

Simon Puttock

illustré par

Nadia Shireen

Pour ma famille
S.P.

Traduit de l'anglais par Anne Krief
Mis en pages par Karine Benoit

Titre original : The Baby that Roared !
Publié par Nosy Crow Ltd, Londres
ISBN : 978-2-07-064399-8

© Simon Puttock 2012 pour le texte
© Nadia Shireen 2012 pour les illustrations
© Gallimard Jeunesse 2012 pour la traduction française
Numéro d'édition : 237179
Loi n° 49-956 du 16 juillet 1949
sur les publications destinées à la jeunesse
Dépôt légal : septembre 2012
Imprimé en Chine

GALLIMARD JEUNESSE

Monsieur et madame Genticerf
n'avaient pas de bébé à aimer, à câliner,
à qui lire des histoires...

Mais, oh,

comme ils en avaient envie !

GRRRR!

Or, un jour,
ils découvrirent devant leur porte
un baluchon avec une étiquette
où il était écrit…

– Ce bébé m'a l'air un peu bizarre, déclara M. Genticerf.

– Tous les bébés sont adorables, répondit fermement Mme Genticerf.

Elle le prit et lui fit aussitôt un câlin.

Puis elle l'installa dans le panier à linge, qui avait exactement

la taille d'un berceau. Mais à peine l'eut-elle déposé

qu'il poussa un **énorme**

RUGISSEMENT !

– Je suppose qu'il a faim, dit M. Genticerf. Comme tous les bébés…

Mais le bébé ne voulait pas de **fromage**.

Le bébé ne voulait pas de **tartine**.

Le bébé ne voulait pas de **chou**...

ni de **concombre**

ni de **chou-fleur** !

Que **voulait** donc **manger** ce bébé ?

– Il faut aller chercher **Oncle Denis**, dit M. Genticerf. Il saura certainement.

– Un bébé ?
dit Oncle Denis.

Un gentil cerf nouveau-né ?

J'arrive tout de suite, bien sûr !

– Les bébés
ont besoin de lait,
expliqua Oncle Denis.
Faites chauffer un biberon
et donnez-le-moi.

Mais...

… quand monsieur et madame **Genticerf** revinrent
– comme c'est **bizarre** ! – Oncle Denis avait **disparu** et le bébé

RUGISSAIT

toujours !

– **Pouah !** fit Mme Genticerf. Quelle est cette **drôle d'odeur ?**

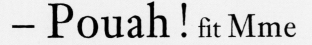

– **Berk !** répondit M. Genticerf. Je crois que ce bébé a besoin d'être changé. Il faut demander à **Tante Agnès**, en général, elle s'y connaît.

– Des couches !

dit Tante Agnès.

Des lingettes et de la crème pour bébé !

Allez m'en **chercher**

le plus vite possible.

Mais...

... quand **monsieur et madame Genticerf** revinrent – comme c'est **bizarre** ! – Tante Agnès avait disparu et le bébé **rugissait** toujours !

– Oh ! pauvre petit bébé, dit M. Genticerf. Qu'allons-nous faire ?

– Peut-être est-il un peu malade, dit Mme Genticerf. Il faut appeler le docteur Renard pour qu'il vienne l'examiner.

GRRRR!

– Un bébé ?
dit le docteur Renard.
Un gentil cerf nouveau-né ?
J'arrive tout de suite, bien sûr !

– Je vais avoir besoin de **calme**
pour examiner ce bébé, dit-il.

Allez-vous-en tous les deux
et laissez-moi faire.

Monsieur et madame Genticerf
s'en allèrent et attendirent,
attendirent, **attendirent**.

GRRRR!
GRRRR!
GRRRR!

Mais le bébé **rugissait** toujours.
Il **fallait** aller voir ce qui se passait ;
et quand ils entrèrent dans la pièce…

... comme c'est **bizarre** !
Le docteur Renard avait disparu
et le bébé était toujours en train de

RUGIR !

Mamie Ours vint tout de suite,
bien sûr. Elle regarda un instant
le pauvre gentil cerf nouveau-né
qui rugissait, **rugissait,** et dit :

Elle le prit dans ses bras
et lui tapota le dos.

– Je sais **exactement** ce qui ne va pas.
Ce bébé a besoin de faire son **rot.**

Lui **tapota** le dos,

lui **tapota** le dos,

lui **tapota** le dos,

De plus en plus bizarre !
Oncle Denis

réapparut

puis

Tante Agnès

et le docteur
Renard aussi !

Et ils n'avaient pas l'air

contents du tout.

– Ce n'est pas un gentil cerf nouveau-né ! s'écria Mamie Ours.
C'est un PETIT

MON

GRRRR!

Et c'était en effet un monstre!
Il se dépêcha de partir à toutes jambes

et plus personne ne le revit
jamais, jamais, jamais.

Quant à monsieur et madame Genticerf, eh bien…

... ils trouvèrent à la place...

... un gentil chat à aimer !